여름날의 환상곡

여름날의 환상곡

발 행 | 2024년 7월 22일

저 자 | 박인숙

펴낸이 | 한건희

펴낸곳 | 주식회사 부크크

출판사등록 | 2014.07.15.(제2014-16호)

주 소 | 서울특별시 금천구 가산디지털1로 119 SK트윈타워 A동 305호

전 화 | 1670-8316

이메일 | info@bookk.co.kr

ISBN | 979-11-410-9647-2

www.bookk.co.kr

여름날의 환상곡

박인숙 지음

1부 굴토끼

굴토끼   12

풀꽃   14

프리즘   16

꽃   17

모즈룩 공방   18

K-좀머씨   21

소라게   24

오리털 입은 팽귄   26

그땐 그랬어야   28

소라현 역   30

가을엔   32

발 끝에 차이는 것들   34

마스크 쓰는 세상   35

여름날의 환상곡   37

봄이 따스한 건   39

책   40

엄마가 된다는 건   42

친구   43

강물   44

기차와 기차길   46

자반 고등어   48

2부 광어의 기도

광어의 기도   50

헤테로피아   52

먹구름   53

그저 그런 날   54

안경을 닦듯이   55

불만   56

향수   57

진화론   58

3월   60

빈티지   61

낙엽   62

야누스   63

아버지   64

감자꽃   65

깨진 마음   67

가을 읽기   68

군주의 백성사랑   69

검은 일기장   70

정말로   71

만남   72

양파   73

3부 흾 NO22

흾NO 22   76
산다는 건   78
나이를 먹는 다는 건   80
말들의 풍경   83
단풍잎   84
말랑집   86
무녀리   90
40˚C   93
나의 노래   95
송아지   97
괴물과의 동침   98
추녀   100
싸락눈 내리던 밤   101
산책길   103
아파트   104
구름   105
그 노인   107
밤 소낙비   110
녹슨 경첩의 노래   111
그놈   112

4부 평화

평화   115

허수아비   116

D.M.Z   118

반딧불이   119

그런 것   120

가을 나무   121

5월의 축제   122

이무기   124

503병동   125

가난한 사람들   126

청개구리   127

하늘의 언어   128

간격의 미학   139

복 많은 여자   130

벽창호   132

등산로   133

가장 따뜻한 말   134

바위   135

다락방   136

잠 오지 않는 밤   137

엄마니까   138

5부 낙타의 기도

낙타의 기도　140

침묵의 땅　141

산다는 건 2　142

얼음 별　143

필요한 건　144

마른 풀집　145

참새 방앗간　146

결혼　147

공백　148

라임 오렌지 나무　149

집으로 가는 길　150

백조의 울음　152

나목　153

굴속의 토끼　154

키 큰 나무　155

개나리 꽃　157

목련 꽃　158

용심　159

고향　160

메피스토펠레스　161

1부 굴토끼

굴토끼

머리에 고성능 안테나 세우고
두 눈에 360도 감시 카메라를 설치해 놓은 건
유비무환의 프로 정신 때문이죠

적이 감지되면 일단 토끼고 보는 건
힘이 약하고 겁이 많아서가 아니에요
다투기 싫어서 맞서기를 피하는
유순한 성격 때문이고요

굴을 파고 들어가는 건 고립이 아니에요 나서기보다는 관조
하고 말하기보다는 듣기를 좋아하는 협력하고 연대하는 합리적
인 개인주의자 휘둘리지 않는 자유로운 이기주의자 타인의 인
정 보다는 나다움으로 사는 당당한 염세주의자이기 때문이죠

먹이 사슬 아래층에 있지만
결정적인 순간엔 개나 고양이도
능히 이길 수 있는데요 그것은
어미의 초능력이지만
근본적인 외유내강은 나의 자부심이죠
·

.

쉿, 비밀인데요
울면서 잠든 날 밤 꿈에 나는
아 Q*를 만났고요

*중인의 소선 <아Q정전>의 주인공. 정신 승리의 원조

풀꽃

아무도 나의 이름을 불러주지 않아도 이미
나는 나만의 꽃입니다
누군가의 손짓과 부름을 기다리지 않는
나만의 의미입니다

존재의 깊숙한 곳에서
나만의 노래를 부를 수 있습니다
힘과 탄력 그리고 침묵으로
소리칠 수 있는 에너지가 있습니다

바다를 향해 고요히 강물처럼
흘러갈 것입니다
우주를 향해 천천히
날개를 펼 것입니다

하늘이 열리던 날
내가 타고 온 민들레 홀씨처럼
나의 목소리는 자유로이
하늘을 날 것입니다

아무도 나를 소환할 수 없기에 나는
긴 멜로디와 함께 밝고
자유롭게 빛날 것입니다

아무도 나에게 눈길을 주지 않아도 이미
나는 나만의 꽃입니다
누군가의 평가에 휘둘리지 않는 나는

풀꽃입니다.

프리즘

빛은
하얀 고통이다
텅 빈 듯 가득 찬 아픔이다

빛의 시작은
색깔의 시작

색은
빛이 잉태한 모래알 고통이 키운 진주
인생은 가장 캄캄한 곳에 선물을 숨기기도 한다는
소설의 한 구절 같은
고통 속에 숨겨둔
신의 선물

산다는 건
하얀빛 속에서 색을 찾는 일
저마다의 색깔을 찾는 일

프리즘 하나
비추어보는 일이다

꽃

그늘진 웅덩이에 뿌려진
씨앗입니다

조각나고 깨진 곳을 뚫고 발아하는
싹입니다

햇빛이 없이도 바람이 불지 않아도
비가 내리지 않아도 피는
꽃입니다

마침내
가장 아름다운 모습으로 가장 향기로운 모습으로
하늘을 우러르는

詩 꽃입니다.

모즈룩 공방

내가 누군지
치수 재기는 중요하죠. 하지만 가끔은
과감한 어긋남의 스릴을 즐겨요
때로는 넘침도 모자람도 넉넉히 소화할 수 있는
우리는 V 세대

하얀 종이 위에 꿈을 그려요
남들이 파랑일 때 나는 빨강이면 어때요
변화를 위한 새로움
오롯한 나의 무늬, 나의 패턴을 만들죠

원단 위에 패턴을 펼치고 실 표 뜨기를 해요
우리에게도 가이드라인은 있으니까요

자는 열 번 대고, 가위질은 신중하게, 시접은 넉넉히 두어요
아, 그렇지만 실수에 너무 낙담하지는 않아요
어쩌면
생각지도 못했던 더 멋진 디자인이
태어날 수도 있으니까요

특별한 힘이 필요한 곳엔 심을 넣어주어요
청년도 등산할 때는
지팡이가 필요하잖아요

조심조심 시침을 해요
자유로운 꿈은 좋지만
과한 자신감은 금물이죠

박음질할 때는 한 땀 한 땀
바늘 끝에 집중하지만
눈을 들어 더 멀리
목표점을 확인하는 것도 잊지 않죠
견지하는 마음엔 편협함이 없으니까요

코너를 돌 때는 바짝 긴장해요
속도는 줄이고, 땀 수는 촘촘히, 시접은 바짝 잘라주어요
아슬아슬 할수록 멋은 더 해지니까요

이제 뒤집어 볼까요
이런, 쭈글쭈글 징징
바늘 자국들이 울고 있지만, 괜찮아요
상침과 다림질로 달래줄 수 있어요

조금은 밋밋해 보이나요?
화사한 코르사주 하나 달아보죠, 우린
빗속에도 춤을 출 줄 알잖아요

와우!
누가 뭐래도 세상에 하나밖에 없는
개성 있고 멋들어진 나만의
모즈룩 이잖아요

K-좀머 씨

열아홉 나이 한국전쟁에 나가
손톱 하나 다친 곳 없이 돌아온 그는
베테랑입니다
함께 입대한 동네 친구 다섯 명 모두
하얀 보자기에 싸여서 왔는데
뮤질아게 곤진힌 필디피로 돌아온 그를
동네 사람들은 행운아라고 했습니다

행운아는
홀어머니와 네 명의 동생 앞에서
오직 무능력자일 뿐
전쟁터보다 더 전쟁터 같은 현실 앞에서
호두나무 지팡이도 없이 빈손으로 허허벌판을
헤매고 다녔습니다

오일장 등짐에선 전우의 신음이 들렸고
발길 닿는 곳마다 지뢰밭이었습니다
포연의 현장 같은 공사장의
지친 하루를 끝내고 돌아오는 길
저녁노을은 핏빛이었습니다

꿈과 현실 사이 그 언저리에서
밤마다 외마디 비명을 질러 대었고
누구와도 대화하려 하지 않았습니다

-그러니 제발 나를 좀 그냥 놔두시오*

어디에도 그의 자리는 없어
애꿎은 동생들에게 폭력만 행사하다
홀어머니 가슴에 녹슨 대못 박아놓고

찬 바람 불던 어느 날
검은 배낭 메고 휘적휘적
길 떠난 그는

먼지 나는 신작로 위에 구르는
한 조각 마른
갈잎이었습니다

-그래도 내는, 아들 나라에 바친 사람보다 낫다. 에미 앞에
가지 않았으니 그라문 효자 아이가.

평생 대문 걸지 않고 살았던
노모의 영정 앞에 하얀 머리칼로

사흘 밤낮을 꼬박
지키고 앉아 있던 그는

한 송이 하얀
국화꽃이었습니다

*<좀머 씨 이야기/파트리크 쥐스킨트>에서 인용
　제2차 세계대전 후의 시대 상황을 배경으로 쓰인 책으로 주인공
좀머 씨는 도망하듯 끝없이 방랑하는 인물이다.

소라게

광야에서 통곡하던 하갈*처럼
유리하다 찾아든 곳
꿈속 같은 진줏빛 터널

향기에 취한 발걸음
미로를 헤매다
화려한 하늘이 쏟아져 내리면
아득해지는 벽壁

비틀거리는 현기증으로
되돌리기엔 너무 먼
차라리 웅크리고 앉아 숨죽이는
나는 누구인가?

심연에서 검은 그림자 마주할 때
잊었던 신의 목소리
나각의 공명으로 울리고, 마침내
갈라지는 껍질

모래톱

노을빛이 곱다

* 아브라함의 아내인 사라의 계집종. 사라의 학대에 못이겨 광야로
도망감.

오리털 입은 황제펭귄

머리부터 발목까지
검정 후드 연미복으로 여미고
발밤발밤 눈길 걸어가는
펭귄들

하얀 마스크 사이로 올라온 입김
속눈썹 끝에서 별이 되어
반짝이는 이른 아침

무리의 군락지는 시내버스 정류장
칼바람에 당당하게 맞서서
버스 바라기 하고 있다

영하 20도 한파에도 허들링을 거부하는
chic 한 황제펭귄들

연미복이 합주하는 허밍 15중주*
연주곡은
덕다운 엘레지

* 덕다운 롱코트 한 벌 만드는데 오리 열 다섯 마리 분의 털이
필요하다고 한다

그땐 그랬어야!

그러니께

나는 쥐띠 3월생, 동생은 쥐띠 10월생,
뒷골 정연이는 쥐띠 4월생, 망골 문연이는 돼지띠 6월생, 속
골 회문이는 개띠 7월생
그럴껴 아마도

그렇거나 저렇거나 우리는 모두
쥐띠 10월 22일생 이여

반장 대부가 상갓집에서 밤을 세운 날 말이여 술한잔 얼큰히
취했던 날 말이여
그날이 바로 면사무소엘 가게 된 날이랴
정신은 몽롱 했고, 한동안 출생 신고를 못했었고, 왜냐하면
워낙 먹고 살기 바빳을것 아녀?
대~~충 몰아서 출생신고를 했고
그러니께 우리는
모두 한해 한날 한시에 태어난겨

그때 츰 가마니 깔고 공부하던 그 머시냐
고등공민핵곤지 뭔지 말이여 거기에
우리는 한꺼번에 1학년이 됐자녀

어쨌거나 우린 기냥
몽땅 쥐띠 10월 22일 생이여

그땐 그랬어야!

소라현역

경부선의 중앙쯤
나즈막하고 조용한 간이역 소라현

그곳엔
시간을 정지시키는 마법의 향기가 흐르지요

기차가 발걸음 멈추고 숨 고르면
지나던 바람도 신발 벗고 마주 앉아 발 주무르며
시 낭송 주고받고 시 놀음하는 곳

역사의 마당 달구지 위 참새들이 추임새를 넣고
낮달도 시 항아리에 내려앉아 한 구절 읽고 가는
도르래를 당기면 삼각 나무 두레박에 삐거덕삐거덕
추억이 담겨 올라오는
사철 마르지 않는 우물이 있고요
우물을 돌아 발맘발맘 나무계단을 오르면
모과 향 가득한 자율 찻집이 나오지요
그곳에선
처음 만나는 그 누구라도 친구가 되어
따끈한 모과 찻잔에 눈웃음 한술 넣고

찻숟갈로 도란도란 젓고 있지요

가끔
나만의 안식처
쿼렌시아가 필요할 땐

경부선
완행열차를 타세요

가을엔

가을엔
슬픔도 아름답습니다

푸름을 떨쳐낸 나신의
오롯함이 아릅답습니다

보낼 것을 보내는
용기가 아름답습니다

폭풍을, 번개를, 벌거지들의 질척댐을 용서하는
용서가 아릅답습니다

숨 막히던 경쟁의 시간도, 살아남기 위한 투쟁의 시간도
조용히 내려놓고 천천히 반추하는
여유가 아름답습니다

무한함의 고통을
유한함의 축복을 알기에

감사함으로 지난날을 반추하는

아련한

미소가 아름답습니다

발끝에 차이는 것들

신작로에 구르는 돌멩이
골목에 흩어진 담배꽁초
바람에 날리는 비닐봉지
공사 반년도 안 지나 튀어 오르는 보도블록

어른들은 모르는 아이들의 줄임말
외설과 구분 짓기 어려운 예술
읽히지 않는 난해한 시
영혼 없이 굴러다니는 사랑

그런즉 이것들은 항상 있을 것인데
그중에 제 일은 사랑이라*

사랑합니다 유권자 여러분
사랑합니다 고객님
사랑합니다 승객 여러분
사랑합니다 형제님 자매님

  *고린도전서 13장 13절 패러디

마스크 쓰는 세상

소갈머리 없는 여자
정수리 탈모는 모자로 가려요
도무지 팔리지 않는 팔자 주름은
마스크로 가리고

처진 눈꺼풀은
색깔 넣은 안경으로 가려요
귀에
시그니아 액티브**를 끼면
젊은이 부럽지 않은 멋쟁이가 되죠

오버핏 프리 원피스는 요즘
핫한 패션입니다
나온 배 가리기는 문제도 아니에요

화장대 거울 앞에 서면 짤막한
조선 시대 여인이지만
신발장 거울 앞에 서면 어느새
늘씬하게 진화된 현대인이 되지요

어떤 것이 진짜 나일까요?

길에서 만난 옆집 할머니께 인사하면
- 누구… 시더라?
글쎄요 사실은
저도 저를 잘 모릅니다

모두가 마스크 쓰는 세상
얼굴도 가리고 마음도 가리는 세상

사람의 생각까지도 읽어낸다는 AI
'시맨틱 디코더'가 개발되었다는데
그 아이는
나를 알까요?

* 이어폰을 닮은 모 회사 제품의 보청기 이름

여름날의 환상곡

바람 좋고 햇살 좋은 날
한 아름 강줄기를 걷어 와서

둥글게 감으면 푸른색 뜨개실이 되겠지
대바구니에 담아놓고
내가 좋아하는 Nella Fantasia* 를 들으며
코바늘로 한 땀 한 땀 뜨개질을 할까

사슬뜨기로 커튼을 짜서
남쪽 창에 걸어 두면
참매미 울어대고 하늬바람 불어오는 날
커튼 자락에서 찰랑찰랑 맑은 물소리 나고
버들치 쉬리가 놀러 오겠지

버들가지 낚싯대로 고기 잡던 옛 친구들도
고무신 조각배 타고 노 저어 와서
밤새도록 조잘조잘 수다를 떨겠지

풀벌레 울고 달 밝은 밤이면
커튼 주름 사이로 달맞이꽃
빼꼼히
얼굴 내 밀지도 몰라

*영화 [미션]의 OST

`

봄이 따스한 건

봄날이 따스한 건
추위를 끌고 간 겨울 때문이고

봄이 향기로운 건
겨울이 매웠기 때문이지요

봄꽃이 수다스러운 건
겨울이 침묵했기 때문이고

지금 당신이 아름답게
꽃 필 수 있는 건

이 시간에도 무릎으로
눈물로 올리는

누군가의
기도 덕분입니다

책

너는
내가 캄캄한 골방의
버려진 실타래처럼 엉켜있을 때
새 꿈을 꾸게 한 친구

꽉 막힌 현실의 벽 앞에서
부지깽이처럼 까맣게 타들어 갈 때
등 토닥거려주던 위로자

두 갈래 길에서 갈등할 때
손잡아주던
길 안내자

마음이 졸고 있을 때 내려치는
죽비

너와 함께할 때 나는
태초의 에덴동산을 다중적인 현실을

판타지 세계를 거침없이 오가는
가슴 뛰는 여행자

자연의 법칙을, 인간의 무늬를
신의 섭리를 찾아 길 떠나는
자유로운 순례자

가끔
너의 너무 높은 시선이나 시답잖은 신변잡기는
나의 눈꺼풀을 내려앉게도 하지만
그래도 너는
손 꼭 잡고 백년해로할 신실한
나의 연인

엄마가 된다는 건

회오리치는 바람과 번개와 천둥과 억수를 타고 온
두렵고도 황홀한 우주 하나 선물 받는 일

가슴 가득히 안개꽃 피어나는 일
알래스카의 오로라와 함께 발레를 추는 일
베토벤 교향곡 9번 제4악장 환희의 송가를 부르는 일

하루에도 몇 번씩 천국과 지옥을 오가는 일
기꺼이 감자꽃 되어 꺾이는 일
소홀했던 예배에 다시 열심을 내는 일
비로소 무릎으로 기도하는 일

마침내 우주가 은하를 품고 떠나면
지구 어느 외딴섬
등대로 남아

깜빡이는 일

친구

예쁜 것도 아니고 비싼 것도 아닌데
자꾸 입게 되는 옷이 있습니다

구겨도 주름지지 않고
피부에 닿아도 껄끄럽지 않은
어쩌다 찢어지면 꿰매서 다시 입고
색깔이 바래도 소매 끝이 닳아도
빈티지의 매력으로 거듭나는

크지만 작아서
가방에 넣어도 있는 듯 없는 듯
잊고 있다가도 찾으면 늘 그 자리에 있는
간절기에 가방에 넣고 다니는
그런 옷 하나 나에게 있습니다

그런 옷 같은 친구 하나 있었으면 좋겠습니다
나도 누군가에게
그런 옷이었으면 좋겠습니다

강물

정착을 거부하는
나는 보헤미안
등에는 배낭 어깨엔 통기타
발길 닿는 대로 자유로워라

저 산모퉁이를 돌면 무엇이 있을까
내일은 어떤 친구를 만날까
설레는 맘

조용한 친구들 만나면 속삭이고
호탕한 친구들 만나면 껄껄대고
통기타 뜯으며 함께 노래도 불러

걷다가 든든한 바람벽 만나면
아픈 다리 접고 신발 벗어놓고
하루쯤 노숙자가 되어도 좋아
다음날은 한바탕 신나는 다이빙을 할 거니까

바람이 좋고 햇볕이 좋고 비도 좋고 눈도 좋아
발걸음 닿는 곳 어디라도 괜찮아

목적이 없어도 괜찮아
길에서 만난 누구나 친구가 되고
헤어질 땐 미련 없이 손 흔들어 주는
나는

행복한 방랑자

기차와 기차길

산과 들과 강을 사열하고
근엄한 목소리로 명령 하달하면
새들이 후닥닥 오금 저려 복창하는
나는야 호탕한 사나이
모퉁이 돌 때 야호야 요들송 부르면
개망초꽃 밤꽃 손 흔들며 인사하지
오늘도 달린다
거기 길이 있기에

밟아라 나를 밟아라
나는 너에게 밟히기 위해 왔나니*
너를 씩씩하게 달리게 하는 것은
나의 존재 이유
너의 탈선은 나의 부실함 때문

틈틈이 가슴 열어 돌로 다지고
바닥에 엎드려 두 손 두 발에 못 박고
가느다란 등줄기 내어주며
기쁨으로 무게 감당하는
약한 듯 강인한

길은

어머니

*소설 <침묵/엔도 슈샤쿠> 중에서

자반 고등어

태평양 한가운데 원대한 꿈 펼치고
아로마 향초에 촛불 켜는
펄떡이는 성깔 기선 제압 위해 투닥거리다
등 푸르도록 멍이 들면
어느새 눈물 되어 온몸 녹아내리는 향초

나른한 몸 누일 때쯤이면
검은 애증의 찌꺼기들
가슴 활짝 열어 모두 들어내고
굵은 소금으로 자반자반
혈기 잠재우는

이제는
곰삭은 된장 곰삭은 젓갈 같은
짭짜름한 연민으로 안아주며
같은 곳 바라보는

아주 오래된
연인

2부 광어의 기도

광어의 기도

천주여 저에게도 눈꺼풀을 주셔서
번쩍이는 칼날이 제 목을 향해 내려오는 순간에
작은 눈 이나마 질끈
감게 하소서

천주여 저에게도 목소리를 주셔서
목이 잘리는 순간에
단말마의 비명이라도
지르게 하소서

천주여 저에게도 흘릴 수 있는 눈물 한 방울 주셔서
껍질이 벗겨지고 살점이 잘리고, 그리고 드러나는
제 몸의 앙상한 뼈를 봐야 하는 그때
두 눈에서 조용히
눈물이라도 흐르게 하소서

천주여 지금
제가 할 수 있는 건 오직
도마 위에서 파르르 떠는
몸짓 하나뿐

그것은
온몸으로 드리는
저의 기도입니다

헤테로토피아

하이퍼 루퍼가 시속 1,000㎞로 달리고, 플라잉 카가 하늘을 날고, 인공태양이 뜨는 세상, 바이오 해커들은 영원불멸을 꿈꾸고, 해리 포터의 마술이 현실이 되는 세상

갖가지 칩과 알약으로 버티는, 거리엔 온통 사이보그들, 돌아가는 팽이에도 끊임없이 가해지는 채찍질, 피할 수 없는 감시의 눈길, 빅 브러더
해일처럼 밀려드는 정보들, 과학이 몰고 온 핵무기, 생화학무기, 포름알데히드

폐렴 걸린 허파, 피고름 차오르는 고통에
해안 바위에 온몸 들이받는 바닷물같이
멀미에 구토하다가 허공에 머리 부딪치는
현실을 앓는 사람들

아이들은 대안학교로, 장년들은 자연학교로, 노인들은 과거학교로

먹구름

눈 부릅뜨고 불꽃 뿜어대는 건, 제 가슴 뜯으며 웅웅 울어대는 건, 공연히 죄 없는 나뭇가지 잡아 흔들고, 우수수 푸른 나뭇잎 떨구어 놓는 건, 잔잔한 시냇물 가슴 뒤집어, 황토물 울컥울컥 토하게 하는 건

세상 떠도는 동안 허파에 가득 쌓인 먼지 때문이야
시커멓고 찐득하게 차 오르는 오물 뱉어내는 기침 소리야

환도뼈가 부러질 때까지 천사와 밤새 벌였던
야곱의 씨름 같은 처절한
자기와의 싸움 중이야

그냥 조용히 지켜봐 줘

가슴에 다시 맑은 샘물 고일 때까지
내일 아침 숲속의 안개로 피어오를 때까지
태평양을 지나
알래스카로 하얀
여행을 다시 시작할 때까지

그저 그런 날

조금은 힘들었고 조금은 질투 났고
조금은 미워했고
조금은 우울했고 조금은 사랑했고
조금은 웃었던

하루를 끝내고 침대에
몸 맡기는 시간
힘들었던 무게만큼
조금은 뿌듯하고 편안하다

언젠가 영원한 잠으로 눕는 그 시간도 딱
이만큼이면 좋겠다

삶이 반드시
발단 전개 위기
절정 결말이 있어야 하는

소설은 아니니까

안경을 닦듯이

안경을 닦듯이
내 눈도
닦을 수 있다면

내 육체의 눈도, 내 마음의 눈도,
내 영혼의 눈도 그렇게
말갛게 닦을 수 있다면

입김 후- 불어넣어
고운 수건으로 살살 문질러
해말갛게 닦을 수 있다면

첫돌 맞은 우리 아기
그
눈 처럼

분만

어젯밤 뒷산에서 번쩍이는
번개를 보셨나요
산통 같은 천둥소리를 들으셨나요
산바라지 아낙의 부산스러운 손놀림 같은
스산한 바람 소리를 들으셨나요

이른 아침 올라간 뒷산 비릿한 물안개 속에
막 목욕을 끝내고 보료 위에 누워있는
올망졸망한 세쌍둥이
까무잡잡한 얼굴에 민머리로 발장난 하는
녀석들의 꼬물거림을 보셨나요

녀석들이 너무 실팍해서
제왕절개를 했다는
밤송이의 분만 소식을 들으셨나요

향수

거친 바람에 흔들린 아픔이었습니다
마디가 잘리는 상처였습니다
그 모든 것 견뎌낸
눈물 한 방울입니다

사랑이 향기가 되고
아픈 이에게 치료제가 되고
영혼이 허전하여 잠 못 이루는 이에게
단잠을 선물하는 라벤더의

영혼
한 방울입니다

진화론

다윈의 진화론에 따르면
모든 생명체는 현실 적응
자연선택으로 진화한다지

그렇다면
100년 후에 인간은 이산화탄소를 마시고 살까

소금밭에 사는 인간
플라스틱을 먹고 사는 인간
물속에서 사는 인간
-270도 아니면 +300도의 초고온에서 사는 인간

어쩌면

오존층은 없어지고 인간은 깜깜한 지하에서 살아갈지도 모르지
AI도 사이보그도 포스트 휴먼도 이미 진부한 고철 쓰레기가 될테고
지금 미래학자들이 걱정하는
포스트휴먼과 미개인의 불평등은 걱정하지 않아도 되겠네

그렇다면 그건

인간일까
괴물일까

3월

뻥이요

모두 귀를 막으세요
임산부들은 조심하세요
아가들의 귀도 막아 주세요

벚나무 매실나무 복사나무 살구나무
앵도나무 자두나무 배나무 사과나무
나무들의 뻥 튀기가 시작됐어요

박상 박상 박상이요

모두 코를 여세요
고소하고 달콤한
꿈을 즐기세요

빈티지

고물인 듯 중고인 듯 레트로 인 듯

오래된 새로움 새로운 오래됨
색 바래고 투박함은 숙성된 자긍심

소장 가치가 있는 골동품은 아니지만
봉숭아 꽃물 같은 추억이 담겨있죠

나는

화려하지 않아 편안한
1951년 산 빈티지 룩입니다

낙엽

거미줄에 걸려 흔들리는 벌레 먹은
나뭇잎 한 조각
거미도 외면해 버린 불청객

참으로 바보같이 살아온
시린 기억의 비틀거림
레아*의 품에 안겨 안식할 날은 언제일까

잠 못 이룬 퀭한 아침에
살며시 다가온 안개의 허그

- 괜찮아 그건 너의 최선이었어

마른 눈가에 반짝이는
이슬 한 방울

* 대지의 여신

야누스

긴 목 치켜들고 우아한 듯 미소 짓지만
근본은 진흙탕

손바닥 넓게 펼쳐 시커먼 바닥 가리려 애쓰지만
한 방울의 이슬도 포용하지 못하는 냉랭함

뻥 뚫린 줄기와 뿌리에
찐득하고 뿌옇게 묻어나는 아집

끝내 둥글지 못한 반원의 자궁에
검은 씨앗 품음은

삼천 년을 버텨도 벗지 못하는
윤회의 굴레

연蓮의 두 얼굴

아버지

난관(難關)의 다리를 지날 때
양옆에 든든히 버티고 있던

한 번도 다가가지 않았고
한 번도 잡아보지 않았지만

그러나

당신이 있어 마음 놓고 다리를
건널 수 있었던

당신은 나의
난간欄杆이었습니다

감자꽃

당신을 따르겠습니다
다소곳하던 당신은
하얀 꽃을 잘라버리고
눈물마저도 잘라버려야 했습니다

올망졸망한 오 남매를 위한
당신의 억척은
박물 봇짐을 이고
산을 넘어야 했습니다

박물과 맞바꾼 보리쌀 자루가 머리를 짓눌러서 당신의 목이
거북목이 되어도, 코끝에 닿을 듯이 가파른 산비탈에서 숨이 목
까지 차올라도, 어스름 산골길 짐승 울음에 머리카락이 설 때
도, 오로지 당신은

감자알 같은 다섯 아이의
눈망울만 생각했습니다

춥고 척박한 터전에서
오 남매 키워내고 가신

당신은

별처럼 반짝이는 하얀
감자꽃이었습니다

깨진 마음

그것은
창

애먼

감나무 우듬지에 졸고 있는
까치밥을 찌르고

코스모스와 춤추는
바람을 찌르고

꿈꾸러 들어가는
노을을 찌르고

가을 읽기

가을을 펼치면
훅-
호박고지 냄새가 난다

갈피마다 붉은, 노랑, 주황, 갈색
단어들의 수다를 읽고
문장에선 와와- 밤송이 까는
머슴애들의 함성을 읽는다

문단 사이에 흐르는
걸쭉한 과즙을 탐독하고
단락의 끝에서 잔잔하게 퍼지는
성숙한 여인의 허밍을 읽고 나면

넉넉한 여백에선
집나간 며느리 돌아온다는
전어 굽는 냄새가 난다

군주의 백성 사랑

(한글날 노래 가사 만들기)

발음기 본떠 만든 자음 열 넉 자
천지인 본떠 만든 모음 열 자로
일천백일흔 두자 만들 수있어
세상의 모든 소리 다 표현하네

과학과 세상 이치 모두 다 담은
쉽고도 아름다운 스물 넉 자는
세종의 독창적 슬기와 철학
군주의 백성 사랑 듬뿍 들었네

세상의 으뜸가는 한나라의 글
세계로 뻗어가는 문화유산은
님께서 물려주신 민족의 자긍
도약의 대한민국 밑거름되네

검은 일기장

열두 색깔로 된 일기장
그중에 찢어버리고 싶은
한 장이 있었네

보고 싶지 않은 검은 색 한장
찢어버리려니 하니
매달렸던 다른 쪽도 함께 찢어질 것 같아
그곳이 더 공허한
심연으로 남을 것 같아

그냥 두네

그래, 괜찮아
검은 쪽도 나의 족적
나의 최선이었으니까

흑요석도 반짝이는
보석이니까

정말로

정말로 기쁜 것은
주르륵
눈물 흐르는 일이다

정말 슬픈 건
허탈하게 우느
웃음이다

정말 사랑하는 일은
뜨겁고 저린 가슴 잡고
우는 일이다

정말 외로운 건
한 길가에서
고래고래 소리 지르며
웃는 웃음이다

만남

그것은 꿰매는 일
너와 내가 등 기대고 하는 바느질이다.
시침이든 홈질이든 박음질이든
촘촘하든 듬성듬성하든

시침으로 만났다 헤어진
이름도 기억할 수 없는 사람들
홈질로 만나 가끔씩
소식 오가는 친구들

이제는 헤지고 바래고 찢어졌지만
결코 뜯어지지 않은 당신과의 만남은
박음질일까

세상에서 가장 튼튼하다는
사랑의 실로 꿰매졌을까, 아님
무연히 질기기만 한 애증의 실
고래 심줄로 만들었다는
신유실로 꿰매졌을까

양파

양파 같이 아릿한
이야기를 보았네

구직 대난 시대
어렵사리 구한 미화원 일자리 놓칠 수 없어
간질에 차오르는 물을 빼 내 가며서도
해고가 두려워 숨기고 일한다는
실룩거리는 입술을 보았고

초등학생 때부터 발견된 희소병 때문에
툭하면 정신 잃고 넘어지는 스물한 살 아들이
"엄마 나 오래 살고 싶어"라고 말하더라며
구름 쳐다보던
엄마의 메마른 두 눈을 보았네

또 그 여인들에겐 이미
같이 울어줄 부모도 안 계신다는
다행인지 불행인지 모를
전설을 보았네

나는 무연히
양파 껍질만 벗겼네

3부 흲 NO 22

찐빵 장사를 했던 엄마는 종종
밀가루 포대로 옷을 만들어 주셨지

양잿물에 표백해서 블라우스를 만들고
검은 물 들여서 치마를 만들고
팬티는 과정 생략, 그냥 그대로
허리와 다리에 고무줄을 넣은 사각팬티를 만들어 주셨는데
전쟁을 앓던 6.25 참전용사 큰 오빠가 휘두르는 지게 작대기에
이유도 모르고 두들겨 맞던 다음날
노란 양은 냄비 씌워놓고 단발머리 깎아주고
책가방에 슬그머니 넣어주던 사과는
무시무시한 오빠 주먹만큼이나 컸었지

공교롭게도 체육 시간이 되고
먹기도 아까웠던 사과를 팬티 속에 숨기고
달리기하다가 그만
넘어지고 말았는데
사과는 떼구루루 나보다 더 앞서 달려 나갔고
검정 치마는 뒤집히고 엉덩이에는
'22 KG 대한 제분 곰표 밀가루'

내 얼굴은 까진 무릎의 핏방울보다도
더 빨갛게 달아올랐고
아이들의 웃음소리는 운동장 가득

안개처럼 먼지처럼 뿌옇게
날아올랐지

산다는 건

견디는 것이다
아픔도 견디고, 슬픔도 견디고, 웃음도, 눈물도
견디는 것이다.

견디다가 지치면 진통제 한 알
먹어보는 일이다
잠깐 아픔이 쉴 때는
어설픈 웃음 한 번 웃어보는 일이다

산다는 건
너무 큰 기대를 하지 않는 일이다
너무 큰 희망을 품지 않는 일이다
그저 그런 거라고
슬며시 눈 감고 지나가는 것이다

억울함도 완벽하게 풀지 않을 일이다
그냥 그렇게 가슴에 묻은 채
먼 길 떠나가는 것이다

원망 같은 것 나뭇가지에 걸어놓고
머리 위로 손 흔들고
허허허
웃으며 떠나는 일이다

나 역시 분명 누구의
큰 기대를 배신한 존재이었을 것이고
나 역시 나도 모르는 사이
누구에게 억울한
말 한마디
던졌을 수도 있었기에

커다란
대못 한 개
박아놨을지도 모르기에

나이를 먹는다는 건

한 지붕 일곱 가구가 살 때
전기세, 수도세, 변소 푸는 값 분배 100원, 20원 차이 때문에
침 튀기며 싸웠다.

나와 같이 사는 사람의
나와 다른 생각을 고쳐 주려고
목줄을 세우며 웅변을 토했다

절대로
남에게 싫은 소리는 듣지 않고 살겠다고
그것이 자존심 빡세게 세우는 일이라고
전전긍긍 세상의 비위를 맞추며 살았고

일등이 아니며 루저로 남게 되는 거라고
절대로
남에게 못나 보이지 않으려고
코를 하늘 높이 치켜들고 살았다

내가 죽고 나서도
모두에게 좋은 인상을 남기고

모두에게 좋은 추억만 남겨야 한다고
그래야 하는 거라고
가면을 쓰고 살았다

이제는

남보다 조금 더 손해 보는 법을 터득했고
미움받을 용기도 생기고
바닥이 꼭대기보다 더 높음을 알았고
쥐었던 손 펴는 법도 알았다

나와 다른 의견을 그대로 들어주는 법
흰 눈을 검다고 우기는 사람에게는
그렇다고 고개를 끄덕여줄 수 있는 여유
누구에게도 기억되지 않고
아무것도 남기지 않고 떠나는 것의
홀가분함을 알았다.

인정 받기보다는
인정해 주는 법을 이제는 조금
알 것도 같은데

나이를 먹는다는 건
모든 건 포기하는 것일까?

모든 걸 수용 하는 것일까?
그 모든 걸
뛰어넘는 것일까?

말들의 풍경

나에게 시詩는

가장 아름다운 말들로 이루어진 옷이다 집이다
흙 속에 뿌리는 꽃씨다
깊은 내면이 우물물을 퍼 올리는 두레박이다

시를 짓는다는 건
세상에 하나뿐인 나만의 옷을 짓는 일이며
세상에서 가장 평화로운 내 집을 짓는 일이며
피어나는 꽃을 바라보는 환희이며 기도이며 때로는
고뇌하는 성찰이며
핏방울 떨구는 유다의 고해성사가 되는

차곡차곡 접혀있는
말들의 풍경이다

단풍잎

11월은 축제의 달

바람 부는 날이면 광장에
각국 춤꾼들의 축제가 벌어진다

정열의 스페인 연인들은 빨간 춤 복을 입었고
자유분방한 체코의 보헤미안들은 주황색 조끼를 입었고
당당한 그리스인 조르바는 찢어진 청바지를 입었다

신데렐라를 질투하던 마녀는 노랑 드레스를 입고
우아하고 까칠한 서울의 도시녀는 갈색 댄스복을 입었다.

모두 함께 손을 잡고 빙글빙글
강강 수월래를 하다가
플라멩코를 추다가
왈츠를 추다가
탱고를 추다가

후드득 가을비 난타가 시작되면
땀에 젖은 무희들

가쁜 숨 몰아쉬며 후줄거니
땅에 드러눕는

11월
단풍들의 축제

말랑 * 집

추풍령 고개마을
그 마을에서도 제일 꼭대기에 있던 집

낙동강과 금강의 분수령을 이루는 곳
떨어진 빗물은 집 마당에서 간발의 차이로
경상도 보리 문둥이와 충청도 양반이 되어 갈라서고
올라오던 증기기관차가 뒷걸음질 치며
내 지르는 목쉰 고함이 들리던
서울과 부산의 꼭 절반 지점인 그곳

코끼리보다 더 큰 거북 바위가
문지기처럼 입구에 버티고 서 있던
내가 살던 그 집을 사람들은
말랑 집이라고 불렀지

언덕길을 올라가면 대문 없는 마당 입구에는 가죽나무가 하나,
둘, 세 그루 있고 (그때 난 왜 가죽나무 냄새가 그리 싫었던지)
마당을 가로지르면 키 작은 복숭아나무가 한 그루, 감나무가 두
그루
여름밤 복숭아를 먹다 보면 으레 벌레를 씹기가 일쑤고(그래도
나는 미인이 되지 못했고)

가끔은 누렇고 굵다란 뱀이 부엌 천장 서까래를 타고 나타나면
울 엄마는
-쉿- 지킴**이다
검지를 입술에 대며 엄숙한 표정을 지었고
우리는 그 뱀이 사라질 때까지
두렵고도 떨리는 맘으로 조용히 지켜보기만 했었지

부엌 궁둥이는 바로 산으로 이어지는 언덕이었고
언덕 위에는 커다란 무덤이 서너 기 쯤 있었고
그곳은 바로 나와 언니와 친구들의 놀이터였는데
잔디에서 뒹굴며 하늘도 보고 송장 메뚜기도 잡고 봉분 사이에
서 숨바꼭질도 하고

일 년에 한 번 시사 때가 되면 무덤 주인은
시루떡, 고기, 전, 과일…들을 한 보따리 가져왔는데 그날은
우리 식구들의 입이 모처럼 즐거운 날이기도 했었지

가을이 깊어지면 잎이 다 떨어진 나뭇가지마다
곶감이 줄줄이 걸려 뽀얀 분을 뿜어냈고
그 밑 토끼집엔 하얀 토끼 회색 토끼가 시도 때도 없이 새끼를
낳았는데

처마 나지막한 초가지붕엔 커다란 박들이 보름달처럼 떠 있었지
바람이 불 때마다 해우소 문짝은 혼자서 열렸다 닫혔다 삐삐-삐
거덕
어설픈 풀피리 소리를 내고
한겨울이면 처마 끝에 고드름 문발이 이마에 부딪히던 집

아하!
300미터쯤 더 산 위로 올라가면 작은 연못도 있었지
가끔은 물방개가 헤엄치고 자라가 빠끔히 내다보기도 하고
해거름 녘이면 이름 모를 물고기가 펄쩍펄쩍 뛰어오르기도 했
는데
속을 헤아릴 수 없는 짙푸른 물속엔
용궁이 있다고도 하고 이무기가 산다고도 하고
보름달이 뜨면 선녀들이 내려와 목욕한다고도 하고…
그래서 그곳은 아이들에겐 무덤보다도 더 두려운 곳이었지

지금은
누구나 한 번쯤 쉬었다 가는 말랑 휴게소
추풍령 고속도로 휴게소가 되었는데

온 동네 아이들이 미끄럼틀인 양 연신 올라갔다 내려갔다
해서, 등이 반질반질했던
목을 하늘로 쭈뼛하게 뽑고 있던
그 거북 바위는 지금
어디에 있을까?

 * 마루(山-)의 경상도 방언
**지킴의 경상도 방언

무녀리

내가 어렸을 땐 도무지 아침이 힘겨웠지
밥상 앞에 앉으면 속이 울렁거리고 하늘은 노랗고 온몸은 바
닥으로 바닥으로 가라앉았지
-나 좀 누웠다가 먹을게
그렇게 까무러친 듯 자고 일어나서 문을 열고 나가면
먼먼 지하세계를 돌다가 나온 듯 햇빛에 눈이 부셨지
조금이라도 배가 고프다 싶으면 그 자리에서 눈을 감고 쓰러졌고
배가 부르다 싶으면 한 숟가락의 밥이 남아도 그 자리에서
수저를 내려놓아야 했지
마흔 살에 날 낳으신 울 엄마는 말씀하셨지
-아이고 야가 어릴 때 젖배를 곯아서 그렇다

국민학교 시절 운동장 조회 시간
교장 선생님의 말씀 중에 쓰러지는 학생이 있어서 보면 그
아이는 언제나 나였다고
나보다 3학년 위였던 언니는 말했지
공부하다가도 쓰러져 집으로 보내어지기 일쑤였고
중고등학교 시절 시험 중에 정신이 가물 해지면
시험을 망치기도 하고 혼자서 재시험을 치르기도 하고
울 엄마는 말씀하셨지
-자가 어릴 때 젖배를 곯아서 그렇다

유난스럽게도 연탄가스에 예민한 나는 가끔, 아니 종종
알 수 없는 먼 나라를 헤매다 올 때도 있었고
그때 먹었던 동치미 국물 덕분인지
나의 어릴 적 기억은 1, 3, 5, 7, 9로 저장되었지
울 엄마는 말씀하셨지
-가가 어릴 때 젖배를 곯아서 그렇다

늘 양쪽 다리가 아팠고 늘 방광염에 시달렸고
밤중에 혼자 바느질하다가도
기차나 버스를 타고 여행을 하다가도
나는 정신을 잃고 쓰러지기가 예사였지
나는 생각했지
-내가 어릴 때 젖배를 곯아서 그래

골골 팔십이라고 했나
나, 이젠 그분이 부르셔도 서럽지 않을 나이인데
기침 한 번에 폐렴이 걱정되고 속 쓰림 한 번에 위암이 걱정
되고
고지혈증 골다공증 고혈압 당뇨 갑상선 동맥경화 간경화 간
염 뇌졸중 뇌출혈 심근경색 치매 각종 암…
멀미가 날 정도로 종류도 많은 병들의 부릅뜬 눈동자들에게
떠밀려
건강검진 받으러 간 날

맵고 짜게 먹지 마시고요 달게 먹지 마시고요 동물성기름 먹지 마시고요 육식 말고 채식이 좋고요 식사량 줄이시고요 잡곡 넣어 잡수시고요 살 빼시고요 많이 걸으시고요 스트레스받지 마시고요 …

-네 제가 어릴 때 젖배를 곯아서 그래요.
우리 엄마의 아픈 손가락
무녀리예요

40˚C

세포 하나하나마다 파고드는 한기寒氣
달랑 속옷 하나 걸친 맨몸을
훑고 지나가는 알코올 솜
차라리 불화살 되어 온몸을 찌르는데
날개 부러진 참새 불 소낙비에 젖어
꺼질 듯이 가냘픈
숨
몰아쉬는 53병동 905호실

바닥의 심연 속으로 한없이 빨려들다가
깃털처럼 훌훌 날아 허공을 붕붕 떠다니다가
내려다본 지상은
아득하다

미친 듯한 8월의 태양 빛은
8차선 도로의 아스팔트를 녹일 듯 쏘아대고
찐득-한 길 위를 내달리는
차 차 차들
와 와 건널목을 건너는 출렁이는
사람들의 물결

어디를 향하여 저리들 달리는 걸까
무엇을 잡으려 저렇게 종종걸음을 치는 걸까

살아있다는 건 결국
움직인다는 것일까
나 언제 저 물결 속에서
함께 출렁인 적 있었던가
나 언제 다시 저 물결 속으로 들어가
함께 출렁일 수 있을까?

나의 노래

나의 노래가
그 누구의 귓속도 파고들지 못하고
창문 밖 길바닥에 내던져질지라도
그래서
행인들의 발길에 질근질근
밟혀 짓이겨질지라도

나는 한 소절
나의 노래를 부르리

내 속의 끈적한 오물을 퍼내고
꺼멓게 응고된 피의 응어리를 뱉어내고
그리고는 새로운
하늘을 흡입하리

말랑말랑한 아기의 볼 같은
폭신폭신 하얀 뭉게구름을
두 손 가득 담아와서
커다란 서랍에 넣어두고
새벽 창가에 날아오는 새들에게 뿌려주리

지구를 휘돌아 여행하는 집시 바람에게도
한 줌씩 나눠주리

송아지

시골로 갓 시집온 어린 신부는
소 끌고 쟁기질 나가는 어르신을 보고 물었죠.
-송아지는 왜 고삐를 묶지 않나요? 도망가면 어떡해요?
-자네 같으면 어미 두고 도망가겠나?
……

아! 그제야 어린 신부는
두고 온
홀어머니 생각이 납니다

고삐 없는 송아지 같은
철부지 시집오던 날
웃음으로 울며
손 흔들어 주던

홀어머니
생각이 납니다

괴물과의 동침

-영화『적과의 동침』변주

내가 자지 않으면 네가 자야 하고, 네가 자지 않으면 내가 자야
하는
우리는 저주의 만남
날마다 재우려 해도
큰 눈 더 크게 부릅뜨는 빅 브러더
사각지대 없는 360도 원형 카메라,

무저갱의 심연까지도 따라올 듯한 끈질긴 놈
'아리아드네의 실타래'를 신에게 선물 받았을까
당근과 채찍으로 말을 길들이는 지킬과 하이드
속속들이 완벽한 맹수
그놈의 유일한 자존심은
-죽어있는 고기는 먹지 않는다

베를리오즈의 환상교향곡 5악장
소리 없는 우레로 다가오는
그놈 발자국

잘까 재울까 아니
쏴야지
-탕!

추秋녀

급하게 검색할 것이 있어서 컴퓨터를 켠다
로딩되고 네모 창이 떴는데
뭐지? 내가 무엇을 검색하려고 했는지
도무지 생각이 안 난다
네모 창 위에서 커서만 끔뻑끔뻑
10분을 바라보다가
기어이 창을 닫는다

풍선인 듯 붕붕 떠가는
모래알인 듯 손가락 사이로 흘러내리는
내 인생을 잡으려

10월 땅거미 속에서
이빨 앙다물고
항문 흡조이는

추녀-

싸락눈 내리던 밤

오빠는 바늘 끝으로
노란 콩알을 찍어
하늘거리는 호롱불 속에
넣고 구웠지

이번엔 누구 차례?
옹기종기 머리를 맞대고 앉은
세 자매의 눈은
일제히 콩을 따라 반짝이고

차례로 입안으로 들어온
까맣게 익은 콩을 깨무는
오도독오도독
고소한 밤

어느새 새까매진
서로의 콧구멍을 보고
까르르 웃으면

싸르륵싸르륵

싸락눈도 하얗게 따라 웃던

그날 밤

산책길

달리는 게 마냥 좋은
개구쟁이 동심도
무지개를 잡고 싶어 숨 가쁜
자전거 탄 청춘도

삶에 등 떠밀려 달리던
희끗거리는 머리카락도
칠십 노인 걱정하는
구십 노인의 노파심도

걷던 길 멈추고 잠시
쉬어가는 길

이름 모를 풀들의 내음에 취해보고 징검다리 사이 헤엄치는
물고기와 눈 맞추고 모르는 사람들과 눈웃음 나누는

5월 아침 천변 산책길

아파트

(시제= 섬)

섬 위에 섬이 있고 섬 옆에 섬이 있네
하늘길 끊겼는가 바닷길 막혔는가
벽 하나 사이에 두고 섬이 되는 사람들

구름

태양이 되고픈 구름이 있었습니다
더 높은 곳에서 온 세상을 내려다보는 멋진 태양이 되고 싶었습니다
구름은 오랫동안 하나님께 기도드려 태양이 되었습니다

그러나
태양이 된 구름에게는 아무도 오지 않았습니다
너무 뜨거워 친구가 올 수 없습니다
외로움에 눈물이 흘렀습니다.
울다가 비가 되었습니다

비가 된 구름은 숲속에 내렸습니다
-안녕?
나무가 손을 흔듭니다
새들이 조잘조잘 인사를 하고
다람쥐가 폴짝 뛰면서 반깁니다
작은 꽃들이 활짝 웃는 얼굴로 환영합니다
-흐음
흙을 덮은 이끼가 점잖은 척 살짝 미소 짓습니다
맑은 날 이른 아침에 숲속의 비는 안개가 되었습니다

아빠와 산책 나온 아이가 걸음을 멈춥니다

-와! 안개다

아이는 안개를 한 아름 끌어안고 집으로 갔습니다

-오, 베개를 만들면 좋겠네

엄마가 말했습니다

안개는 이제 구름 솜 베개가 되었습니다

아이는 오늘 밤 구름 솜 베개에 머리를 묻고 행복한 꿀잠을
잡니다

구름 솜 베개도 덩달아 행복합니다

-아, 낮은 곳에는 친구가 많아

그 노인

다섯 살 때 엄마를 여의고 올케의 손에서 자랐다는
열일곱 살에 얼굴도 못 본 전주 이씨 집안 셋째 아들에게 시
집와서
십 년 동안 큰집에 얹혀살다가
논 두 마지기 제급받고
산기슭에 밭 두 카짜리 흙집 지었다는

남편은 노름에 빠지고
그녀는 그 버릇을 고쳐보려고
농약까지 먹어봤다는데 그 후유증인지
지금까지 목에서는 쌕쌕- 증기기관차가 김을 뿜어내고,
그 후로 남편은 역마살이 끼어
일 년에 열 달쯤을 친구 몇 명과 어울려
시도 때도 없이 서울을 오가며 지냈다는데
염소 잡아주는 장사를 한다고
서울의 뒷골목을 떠돌아다녔고
그녀는 등이 짓무르게 아이를 업고
혼자서 손톱이 닳도록 농사지었다는
그래도 아들 넷 낳았다는 자부심과 그 아이들만 크면
크게 영화 누리고 살 것이라는 원대한 꿈에 젖어

힘든 줄 모르고 열심히 살았다는

이제는 옛집 없어진 자리
원주민을 위한 고층 건물
세종 신도시 영구임대주택 여덟 평 아파트 20층 베란다에서
굽은 등 의자에 기대고 앉아
하얀 머리카락 쓸어 올리며 바깥세상 내다보는
새장 안의 하얀 카나리아*가 되었는데

남편은 머-언 세상으로 떠나고
아들들은 보상받은 돈 몇 푼 때문에 등 돌려 떠나고,
그래도 가끔 들러주는
유일한 딸자식 붙들고
오늘도 중얼중얼 선문답 풀어내는
그 노인

-나 죽거들랑 너의 아버지랑 합장하지 말어
야속한 양반이여
한 번도 정(情) 있게 살아본 적이 없어서 그랴
아버지가 정해 준 사람이께 그래야 되는 거라고
기냥 그렇게 살아야 되는 건 줄 알고 그렇게 살은 겨
그러니께 나 죽거들랑 훨훨 태워서
아무 데나 훠이훠이 뿌려 뻔지면 돼능겨
나 죽게 생겼으면

저 전화기 누르면 바로 119가 온디야
저번에 동(洞)에서 나온 사람이 저 전화기 놔 줬자녀?
참 좋은 세상이여!

밤 소낙비

그것은
소리치지 못한 자들의 고함이다
울지 못한 자들의 눈물이다

가슴 깊은 곳 칼로 가르고
짓구겨 넣던 모멸감이 솟구치는 소리다
안으로 안으로 삼키던
울음보에서 터져 나오는 폭포수다

큰 자들이 모두 잠든
이 한밤에야 비로소 쏟아내 보는
작은 자들의 절규다
숨통이 터지는 소리다

아침이 오면 다시
눈 닫고 입 닫아야 할 자들이 벌이는
슬픈 축제의
난타 공연이다

녹슨 경첩의 노래

이유 없이 어깃장 놓는 고집불통 늙은이, 사사건건 새청 맞은 목소리로 참견하는 심통 난 노인네, 혈압 오른 얼굴로 집 안 구석구석에 다니며 쏟아내는 노인의 잔소리다

한 세월 문(門)을 지켜온
ㄴ인이 무슨 상처에
덕지덕지 붙어있던
녹슨 딱지의 부스러기들이다

심장 속에서
발화되지 못하고 쌓여있던
불그죽죽한
언어의 조각들이다

흘러 내리는
세월이다

그놈

어젯밤 악몽 속에서 나를 따라오던 그놈
검은 뿔테 안경 속에서 이글대던 붉은 눈
술 취한 듯 미친 듯 초점이 없는 눈동자
따귀, 엎어 치기, 나가떨어졌나? 아니, 또다시
악~~~

내 등에 올라탄 놈. 물컹물컹한 놈. 찐득-한 놈
잡으면 흐물흐물 흘러내리다
손가락 사이로 빠져나가
다시 내 다리, 손, 팔로 기어오르는 놈
떼려고 시멘트벽에 비벼댔다

-보소, 사람들 내 등에 아무것도 없소?
-허! 붉은 살점들이 척척 걸쳐 있구먼
-윽~~~

내 머리 위에서 춤을 추고 있는 이놈
머리채를 휘어잡고 그네 타고 있는
얼굴엔 달랑 입 하나뿐
피에로처럼 웃고 있는

이놈

에잇- 지구 끝까지 따라올 놈
지옥 끝까지 따라올 놈
내 발꿈치를 물어뜯는*
바로

이놈

*여자의 후손은 네 머리를 상하게 할 것이요 너는 그의 발꿈치를
상하게 할 것이니라. (창세기 3장 15절)

4부 평화

평화

나른한 봄날의 주말 오후
햇살 좋은 안마당에 늘어져 누운
누렁이 같고

그 옆 평상에서
입던 책으로 얼굴 덮고 낮잠 든 스무 살
총각 같고,

노을 진 들길 따라
다섯 살 손자 손잡고 산책하는 노인의
반짝이는 은빛 머리카락 같고

해거름 녘 놀이터에서
친구들과 소꿉장난하는 아이 부르는
엄마의 목소리 같은

평화!

허수아비

그는 호위무사다
누렇게 퇴색된 세상 속에서
밀짚모자 눌러쓰고
부실한 팔다리 허우적댔다

때로는 빈 깡통 흔들며
새된 목소리로 큰소리치면서
그래도 새끼들 목구멍 지켜낸
허수의 아비는
호위무사다

그는 행사 진행자다
아비처럼 살기 싫다고
중절모 삐딱하게 쓰고
꽃밭으로 갔다.

아이들과 악수하고 연인들과 사진 찍고
노인들과 노래 부르는
아비의 아들 허수는
장동 코스모스 축제 밭
행사 진행자다

D.M.Z.

신약도 신기술도 무효인 체증
울엄니 일흔한 해 고질병 어찌할꼬
아이야 너희 남매가 손잡는데 약이니

반딧불이

은하수 가득 내려앉던 밤
짧은 입맞춤하고
손 흔들며 멀어져 간 머슴애가

두 손 가득 담아주고 간
바딧불이
가슴 속 서랍에 넣어두고

가끔
별 총총한 밤이면 꺼내 보는
반짝이는
추억 한 마리

그런 것

산다는 건
무채색 원피스에 분홍빛
코르사주 하나 다는 것
불면의 밤에 머리맡에
라벤더 화분 하나
놓아 두는 것

사랑이란
자신의 몸을 분해해서 새끼에게 먹이는
비탈 거미의
모성 같은 것

성공이란
쟁기질한 그곳에 심은
씨앗이 싹을
틔우는 것

행복이란
'아자!'하고 외치지 않아도
저절로
힘이 나는 것

가을 나무

숙제 않고 뛰어놀다
방학 마지막 날 허둥대는 학생처럼
채 여물지 않은 열매 달고
늘어져 있다가 가을바람에
화들짝 놀라는
나무입니다

태양이 너무 뜨겁다고 투정 부리고
태풍에 힘겹다고 아우성치고
벌레들의 침입에 눈물 흘리다

투둑-

옆 친구 열매 떨구는 소리에 화들짝 눈뜨며
초조하고 조급한 마음으로
속절없이 서성이는
가을 나무입니다

5월의 축제

　실치가 뱅어가 되기 전에, 그들의 뼈가 굵어지기 전에, 야들
야들 그들의 몸이 부드러울 때, 먹어야 제맛이라지. 3분 거리를
30여 분 만에 진입한 입구, 때를 놓칠세라 모여든 사람들, 장고
항 실치축제 마을. 새로운 먹거리를 위해서라면 두 시간도 세
시간도 마다치 않고 쫓아다니는
　식도락가들의 상기된 얼굴들, 격앙된 목소리들. 식당마다 내
걸린 쪽지 -만원사례. 온 마을을 돌다가 차지한 바닷가 실외 이
동식 식탁 한자리. 30여 분 기다려서 나온 실치 된장국. 남은
된장국이 싸늘하게 식었을 때 드디어 '실치 회' 붉은 초고추장
에 버무린 오색 야채 옆에 산처럼 소복하게 쌓인 무더기. 야들
야들 뽀얗고 투명하다.

　그날 여리디여린 생명들
　아직 뼈도 굵어지지 않은, 야들야들했던
　이름도 모를 청년들
　척척 쌓아 올려진 피범벅 된 시체 더미
　석유통, 마른 덤불, 불꽃
　그건 누군가에게
　또 다른 축제

붉은 양념 버무린 실치 더미에
먹다 남은 술을 뿌리고 라이터로 불을 붙이면
그날의 냄새가 날 것 같다
바닷물 밀려 나간 갯벌에 비스듬히 누운 작은 고깃배들
사이로 간간이 아이들이 펄을 뒤적이고
우람한 시멘트 방파제가 마을을 지키고 있는
장고항

끼룩~
갈매기 한 마리 날아오른다

이무기

용이 되고픈 배암입니다

입으로 불을 뿜으며
호령으로 천지를 뒤흔들고 싶은
배암입니다

폭풍우 속에서 굉음으로
멋지게 온 우주를 지배하는
용이 되고 싶어
용틀임을 해 보지만

황금비늘 대신 검버섯만
피어오르는

끝내 용이 되지 못한
이무기입니다

503병동

늙은 황소의 반추, 입에서 흐르는 끈적한 침, 뜨거운 콧김, 휘감기는 채찍 뿌옇게 먼지 이는 신작로, 삐걱대는 달구지

힘겨운 무릎, 갈라진 굽에 차이는 돌, 커다란 눈동자, 심장에서 일렁이는 푸른 피, 가냘픈 박동, 가쁜 숨결

어둠의 심연 속으로 내던져진 푸른 심장, 초점 잃은 동공의 허우적거림 위로
하늘이 내려와 암막 커튼을 친다

떨리는 두 손 모으는 간절한 기도
아베 마리아!

가난한 사람들

가로등 불빛 밑으로 눈발이 흩날리는 밤
-성냥 사세요
안 팔린 성냥 한 개비로 손을 데우던 소녀는
시린 손 불면서 속으로 속으로 외쳤지요
-성냥 사세요
하지만 소녀야 개중엔 성냥 살 수 있는 한 닢의 동전이 없는
아이도 있단다

황량하고 을씨년스러운 밤
-사랑 사세요
아무도 사지 않는 사랑 해면에 묻혀
타는 목 축인 십자가의 예수
가슴으로, 가슴으로 외쳤지요
-사랑 사세요
하지만 예수여 어쩌죠? 우리는
마음은 원이로되 육신이 연약한
어린아이 입니다

청개구리

-나 죽더라도 너그 아부지랑 합장하지 마라
당신의 유일한 유언이었지

67년 된 아부지 동네가 재개발된다는데
엄마 지금쯤은 마음 좀 풀어지지 않았수?
미안해.
옆자리 좀 살짝 내어주셔요,

살며시 삽작문 열고
아부지 등 떠밀어 넣고
부르릉-
키를 돌리는데.

고무신 돌려 신으며
종종걸음으로 따라오는 산그늘

-청개구리보다도 못한 이노무 새키들!

하늘의 언어

십자가에서 흘린
예수의 붉은 피로만 쓸 수 있는
핏빛 두 글자

돌아온 탕자를 끌어안는
아버지의 뜨거운 심장으로만 쓸 수 있는
붉은빛 두 글자

열여덟 살
소년의 두근대는 가슴으로만 쓸 수 있는
분홍빛 두 글자

영혼 없이 읊어서는 안 되는
영혼을 담지 않고 쓰면 안 되는
숭고한 하늘의 언어

사랑

간격의 미학

돋보기 쓰고 책을 읽다가
문득 거울을 봤는데
아! 거울 속에 괴물이 있어요

부석한 눈두덩 굵은 땀구멍 푹 파인 팔자 주름
처진 입꼬리 쭈글쭈글 목주름 얼룩덜룩 검버섯

누가 자세히 보아야 예쁘다고 했나요
누가 오래 보아야 사랑스럽다고 했나요

무지개는 멀어서 예쁘고
첫사랑은 스쳐 지나가서 아름답고
당신과 나는

적당한 거리가 있어
편안하지요

복 많은 여자

수영장에 다니는 엄마들
헬스장 할인권을 자랑(?)하는 엄마들

복 많은 여자들이군
나는 언제나 저런 여유를 부려보나
찐하게 부러웠지

눈썹이 휘날리게 뛰었고
손톱여물을 썰었지
그땐 그랬지

무릎이 신통찮아 정형외과에 갔지
-수영하세요.
건강검진 결과가 나왔지
-콜레스테롤 관리 요함 운동하세요

나도 이제 수영장 간다
나도 이제 헬스장 간다.
남는 건 시간뿐인

나도 이제
복 많은 여자

벽창호

    벽이 나를 벽이라고 한다 내가 벽을 벽이라 한다 너는 나의 벽이고 나는 너의 벽이다 사방이 꽉 막힌 출구 없는 벽 머리로 벽을 박았다 벽이 벽을 해딩한다 벽이 벽을 발로 찬다

    -바짝 엎드려 -싫어
    -뛰어올라 - 싫어

    벽이 말한다 -벽이 싫어
    벽이 말한다 -숨이 막혀

등산로

방전된 배터리들
줄지어 들어가는 길목

빨갛게 노랗게 파랗게 멍든
방전된 배터리들
들숨으로 빨아들이고
재생된 초록 배터리들
날숨으로 배 뱉는

등산로는
충전소의 길목
숲의 콧구멍

따뜻한 말

어린 날 내가 꿈속에서 우주를 헤매다
이유 모를 추락에 소리 지르다 깨면
바느질하던 엄마
머리카락에 바늘 닦으면서
돋보기 너머로 보이시던 하얀 눈웃음
잘 잤어?

병원 침대 오랜 잠에서 깨어 났을 때
읽던 책 접으면서 살며시 내 손 잡고
가만히 눈 맞추던 그 사람
잘 잤어?

참
따뜻한 말

바위

가끔은
바위가 되고 싶다

바람에도 비에도 강한 햇빛에도
흔들리지 않고 쓸려 내리지 않고
녹아내리지 않는
바위가 되고 싶다.

모욕감이 슬픔이 분노가 아픔이
태풍처럼 나를 흔들어도
의연하게 견딜 수 있는
바위가 되고 싶다.

나그네 쉬어가고 산새가 쉬어가고
달팽이가 쉬어가고 다람쥐가 쉬어가는
숲속의 널찍한
바위가 되고 싶다

다락방

문득
어디론가 떠나고 싶거든
친구야 내 작은
다락방으로 와 줄래?

세모난 지붕 세모난 창이 있는
내 작은 다락방에
노란 풍선 달고 하늘로 가자

창가에 걸려있는 뭉게구름
두 손 가득 담아 내 방에 깔고
지나가는 새들 불러 쉬었다 가라 하자

바람 일렁이며 손짓하거든
함께 나가 손잡고 왈츠를 추자

문득
어디론가 떠나고 싶거든
친구야 내 작은
다락방으로 와 줄래?

잠오지 않는 밤

이 밤을
불면(不眠)으로 뒤척이는 것은
神께서 내게 주신
배려일까

아직
하늘의 뜻을 깨닫지 못했다면
몇 밤을 새워서라도
이순(耳順)을 열고
바람의 소리 들으라고

심미안을 가지고
들꽃 보라고

잠도 오지 않는 밤
바람 소리 꽃향기가 몰려오는 건
神께서 내게 주신
배려인가보다

엄마니까

너의 눈 속에
하얀 데이지꽃이 보여

너의 웃음소리에
은빛 날개가 보여

때로는
너의 뒷모습에
비틀거림이 보이지만

말하지 않아도 알아
나는
엄마니까

5부 낙타의 기도

낙타의 기도

육봉의 무게
눈 막고 귀막고 코 막고 자칫
입까지 다물어야 하는
모래와의 사투

오아시스는 어디쯤일까

그래도
오늘 하루 걸어왔음에
오늘 하루 최선을 다했음에
고통도 삶의 일부이기에

노을 지는 천막 옆에서 올리는
굳은 무릎의
기도는

감사

침묵의 땅

사람들이 북적이는
도심의 한복판을

어깨를 스치고
엉덩이를 부딪치며
걷고 싶고

쏟아지는 햇볕을 받으며
활기찬 인파 속을
헤엄치고 싶었던
적막하고 숨 막히던 그 날

기억하고 싶지 않지만
자꾸만 떠 오르는
그
침묵의 땅

산다는 건 2

이건가 싶으면 저것이고
저건가 싶으면 또 다른 그것이고

산다는 건 어쩌면
그냥 살아 지는 것인지도 몰라

누군가가 떠미는 물결에 휩쓸려
그냥 그렇게 밀려가는 건지도 몰라

어떨 땐 전혀 낯선 길이
어떨 땐 꾸불꾸불 산고개 길
어떨 땐 지루할 정도로 평온한
그저 그런 시골길

가끔은 확- 트이는 해변의 모래밭에서
야호! 하고 소리 지를
그런 날도 오고

얼음별

너와 난
무한 공간의 푸른 별
함께 있어도 마음은 너무 멀어

너는 우주 저쪽
나는 우주 이쪽
싸늘한 얼음 조각으로 만든

눈길만 닿아도 쨍- 하고 깨져버릴 것 같아
오소소 소름이 돋는

우리는
가깝지만 멀기만 한
푸른 별

필요한 건

가끔
목구멍 가득 설움이 복받칠 때
필요한 건

그냥
폭포수처럼 콸콸 눈물 쏟아보는 것
폭포수에 설움 가득 실어 흘려보내는 것

산골짜기 돌아 돌아
가재가 알 품는 좁은 계곡에 가면

설움은 비로소
푸른 노래가 되리니

마른 풀집

칼바람 부는 골목 눈 쌓인 담 밑에서
바스락거리는 소리
가만히 눈 헤쳐보니

곰실곰실 자리다툼 하는
어린 초록이들의 투정 소리
그 소리 온몸으로 감싸 안은 마른풀의
버석거리는 숨소리다

자리끼 꽁꽁 얼던 방에서
아버지 없는 오 남매 끌어안던
내 엄마의
버석거리던 손바닥 마른 가슴소리
마른 풀집이다

참새 방앗간

10월 해거름 녘
마을버스 종점 빛바랜 나무 벤치 위에

검정 비닐봉지에 담긴
고등어자반 한 손 뻥튀기 한 봉지
지팡이와 나란히 놓고 굽은 허리 펴는
할아버지의 참새 방앗간

막걸리 한 잔 뜨끈한 시래기 국물에
콧물 훌쩍이며
손등으로 턱수염 쓱~훔치고 나서는
종점식당

포르르 떼지어 날아온 참새들
전깃줄에 나란히 앉아
재잘재잘 털 고르기 하는
새재 마을버스 종점

결혼

아로마 향초로 다가와
촛불 켜는 것

어느새 눈물 되어
온몸 녹아내리는 것

나른한 몸 누일 때쯤이면
마지막 심지 밑에 남은 그을음

찐득하고 거무스름한
애증의 흔적

곰삭은 된장 곰삭은 젓갈 같은
짭짜름한

연민으로 남는 것

공백

안전거리 무시한 자동차처럼
누가 내 앞에 끼어들까 봐
연신 경적 울려가며
달렸다

띄어쓰기 없는 문장처럼
공백없는 문단처럼
멈추면 영원히 도태될 것 같아
벌건 눈 비벼가며
써 내려갔다.

숨이
차다

라임 오렌지 나무

당신은 나의
라임 오렌지 나무입니다
소설 속의 제제가 늘 찾던
라임 오렌지 나무입니다

낮이나 밤이나 비가 오나 바람이 불어도
햇볕 쨍쨍 내리쪼여도 펑펑 눈이 내려도
늘 그 자리를 지키고 있는

진흙으로 범벅된 옷을 입고가도
찢어진 신발을 끌고 가도
찌질이 눈물범벅 헤픈 웃음 범벅
모두모두 두 엄지로 살짝 닦아주며
흐뭇한 미소로 가만히 끌어 안아주는

주님!
당신은 나의
라임 오렌지 나무입니다

집으로 가는 길

땅거미 지는 골목길 돌아서면
귀 밝은 누렁이가 컹컹 짖어 대고
밥 짓는 냄새가
허기진 발걸음 빨아들이는 곳

머릿수건 벗어든 당신이
찌그러진 사립문 열고
엷은 미소로 기다리는 곳

빨간 홍시 한 접시
내미시는 당신 앞에
하루를 한 보따리 풀어놓으면

마당엔 소복이 눈 내리고
당신은 눈송이 닮은 목소리로
가만히 제게 말씀하시겠죠

-그래 오늘 하루 수고 많았다 아이야

나 이제
세상의 일과 마치고 당신께로
돌아가는 시간

백조의 울음

죽을 때 단 한 번 운다는
백조처럼
긴 목 늘이고 목놓아 울었다

마흔에 홀로 되어 오 남매 길러낸
장부 아닌 여장부

92년동안의 서러움을 그렇게
길게 토해내고 떠난

우리 엄마

나목(裸木)

벌레 먹은 나뭇잎 하나
걸치지 못은
裸木

가슴 데우려 두 팔 벌려
안아 보지만
어깨만 툭- 치고
지나간 바람에

휘적휘적 비척거리는
당신은

어머니

굴속의 토끼

세상을 향해
고성능 안테나 세우고
비장한 각오로 두 손 위로 쭉 뻗는
나는 슈퍼우먼!

다산의 여왕
아이들을 위해서라면
빨갛게 눈에 핏발 세우고
여차하면 이웃과의 전투도 불사하며
용감했다

한때는 하늘하늘 부풀었던 하얀 꿈
스스로 쓰다듬으며 그래도 가끔은
나 여기 살아있노라고
두 개 남은 송곳니로 허공 긁는

노인 요양원
하얀 토끼들

키 큰 나무

원대한 꿈을 꾸며 초록을 자랑하던 이파리들은
8월의 태양 아래 갈증으로 늘어졌습니다

야금야금 껍질을 갉아 먹던 벌레들은
그 푸르던 잎들에게 뻥-하고 커다란
구멍 하나씩 남겼습니다

못다 영글고 떨어진 낙과들이 못내 아쉬워
미움과 원망과 서러움에
아린 가슴 끌어안고 신음할 때

폭풍은
거친 비바람 몰고 와
구멍 난 잎사귀마저 몰아가 버렸습니다

이제
꺾이고 뿌리 뽑혀 신음하는데
작은 무당벌레 한 마리
포르르 날아왔습니다

작은 지렁이 한 마리
살금살금 기어 왔습니다
내 찢어진 귀에 대고 속삭입니다

-안녕?

개나리꽃

온 세상에 내 걸린
노란 손수건

4월이 부르는
솔베이지의 노래

기다림에 늘어진
산 노루의 모가지

목련꽃

토라진 나뭇가지
옆구리 간지럽히는
4월의 애교

칫! 그런다고
내가 웃을까 봐?

입술 오므려 뾰족이 내밀고
눈 내리깔아 보지만
기어이 터지고 마는
커다란 입술

푸하하-

용심

바늘 하나 꽂을 자리 없는
비좁은 나의 마음

하루에 일곱 번 나를 쳐도
여전히 고개 드는
용심

날마다 치고 다듬어도
언제나 내 마음은
공사 중

울퉁불퉁 시끌벅적
돌 짝 깔린
신작로

고향

왁자지껄
아들딸 손주 다 왔다 가고
적막이 내려앉는 시간

가야 할 것 같다 자꾸만

나도
가야 하는데
어디로 가야 하나

이젠 내가 엄마이고
내가 고향인데
여기가 내 자리인데

가야 할 것 같다 자꾸만

메피스토펠레스*

너의 품은 편안했고 너의 무릎은 달콤했다
스며드는 쾌락에 날개 접고
권태가 없으매 갈망도 없는
안주安住

- 멈추어라 너 정말 아름답구나!**

나른한 꿈속
어깨 위에 떨어지는 죽비의
우렛소리

일어나라
길듦은 후퇴, 머묾은 부패일 뿐
희망에 부딪혀 온몸 불탈지라도
고군분투하는
불나방으로 날아라

-인간은 노력하는 한 방황하는 법이니까***

* 파우스트를 유혹하여 파멸시키려는 악마
** <파우스트>에 나오는 명대사
*** <파우스트>에 나오는 명대사